D0795247

PASSAGÈRES

VOIX DE
CHANGEMENTS

COLLECTION « TRACES »

Planète rebelle

Fondée en 1997 par André Lemelin,
dirigée par Marie-Fleurette Beaudoin depuis 2002
7537, rue Saint-Denis, Montréal (Québec) H2R 2E7 CANADA
Téléphone: 514. 278-7375 – Télécopieur: 514. 270-5397
Adresse électronique: info@planeterebelle.qc.ca
www.planeterebelle.qc.ca

Révision: D. Kimm, Marie-Paule Grimaldi et Janou Gagnon
Correction d'épreuves: Diane Trudeau
Conception de la couverture: Marie-Eve Nadeau
Mise en pages: Marie-Eve Nadeau
Impression: Transcontinental Métrolitho

Les Filles électriques   Les **In**dispensables!   **Passages**

Les éditions Planète rebelle remercient le Conseil des Arts du Canada de l'aide
accordée à leur programme de publication, ainsi que la Société de développement
des entreprises culturelles du Québec (SODEC) et le «Gouvernement du Québec –
Programme de crédit d'impôt pour l'édition de livres – Gestion SODEC». Planète
rebelle remercie également le ministère du Patrimoine canadien du soutien
financier octroyé dans le cadre de son «Programme d'aide au développement
de l'industrie de l'édition (PADIÉ)».

Distribution en librairie:
Diffusion Prologue, 1650, boul. Lionel-Bertrand
Boisbriand (Québec) J7H 1N7 CANADA
Téléphone: 450. 434-0306 – Télécopieur: 450. 434-2627
www.prologue.ca

Distribution en France:
DNM – Distribution du Nouveau Monde
30, rue Gay-Lussac, 75005 Paris
Téléphone: 01 43 54 50 24 – Télécopieur: 01 43 54 39 15
www.librairieduquebec.fr

Dépôt légal: 1er trimestre 2010
Bibliothèque et Archives nationales du Québec
Bibliothèque et Archives Canada
ISBN: 978-2-923735-04-7

Les Filles électriques
et Passages

Passagères
Voix de changements

Planète rebelle

Présentation

Je porte depuis toujours une grande colère face aux injustices, je me suis indignée, j'ai milité et honnêtement... cela n'a pas donné grand-chose. Avant de finir épuisée et désabusée, j'ai préféré choisir UNE cause et participer à des réalisations concrètes.

Le vaste projet que j'appelle « Les mots appartiennent à tous... et à toutes » a débuté en 2006. Avec Les Filles électriques, nous cherchons à mettre à profit notre expertise et notre réseau pour donner une place à des voix différentes ou traditionnellement exclues, dont celles des femmes en difficulté. Deux livres ont été publiés en collaboration avec des maisons d'hébergement pour femmes en difficulté : *Écrire et sans pitié* (Les éditions du Passage/l'Arrêt-Source, 2006) et l'*ABCd'art de La rue des Femmes* (Les éditions du remue-ménage, 2007). Ce projet avec la maison d'hébergement Passages est donc notre troisième publication, et nous sommes particulièrement heureuses que l'ouvrage inaugure chez Planète rebelle la nouvelle collection « Traces ».

Je le constate régulièrement : le geste d'écrire est chargé d'émotion. Déjà, à l'école, le processus de marginalisation commence souvent autour de l'écriture. On est jugé parce qu'on fait des fautes, qu'on écrit « mal » ou qu'on ne correspond pas aux attentes du professeur. En rendant l'écriture accessible pour des femmes marginales au parcours particulier et bien souvent incroyablement courageux, en valorisant par la publication leurs écrits, nous souhaitons briser le cercle de l'exclusion. Mais surtout, nous voulons contribuer au rêve et au plaisir de la création.

Dans nos projets, le processus est aussi important que le résultat. Le projet doit être organique et naturel, fait dans le respect des différences, et étroitement lié à la réalité des femmes avec qui nous travaillons. Le projet *Passagères – Voix de changements* porte la marque de la complicité que nous avons eue avec Marie-Paule Grimaldi, qui a été non seulement animatrice et coordonnatrice, mais aussi une bonne fée à l'écoute qui a réuni les filles et insufflé l'âme à ce livre.

J'ai choisi, avec Les Filles électriques, de désacraliser la poésie en offrant une tribune aux nouvelles voix et aux voix différentes. J'ai toujours voulu rendre la poésie plus vivante et accessible, l'amener dans nos vies et faire du quotidien quelque chose de fantastique. Ce projet confirme encore une fois la pertinence de notre démarche, un peu idéaliste il est vrai, mais qui permet de rêver justement.

D. Kimm
Directrice artistique
Les Filles électriques

La première fois que j'ai vu Passages, j'ai eu un coup de foudre. Sur son coin de rue, belle et fière, la maison m'a donné espoir. Je suis tombée amoureuse quand j'ai vu la première résidante en jaquette, les yeux encore endormis, à midi, pour son premier café de la journée, alors que j'attaquais mon dîner. Depuis, mon amour n'a pas baissé d'un iota ; je l'aime. Pour moi, Passages est une femme. C'est la mère que je me serais choisie, accueillante, non jugeante, encadrante, imparfaite, mais droite, la tête haute, fière de nous toutes, ses filles, qui y cheminons comme personnes et comme professionnelles. Passages est une mère patrie et je suis fière d'avoir une aussi grande famille.

Je partage chaque année le quotidien de plus de deux cents jeunes femmes et de vingt-cinq intervenantes et formatrices différentes. Passages est une maison, un abri qui accueille et protège ; un logement qui permet la vie seule chez soi, parfois pour la première fois. C'est un lieu de travail, le mien, mais aussi celui des Passagères. Elles sont plus de cinquante participantes aux activités d'insertion de Passages qui, année après année, travaillent fort sur elles-mêmes, sur ce qu'elles pensent, vivent et ce qu'elles veulent raconter. Ce sont des comédiennes, des artistes, des écrivaines et elles se réalisent chaque semaine.

Passages, ce sont également des mots. Ceux des jeunes femmes, ceux de mes collègues et les miens. Ce sont des mots d'amour envers soi et les autres, des mots de courage et d'espoir. Ce sont aussi des mots durs, entendus, intégrés et reproduits, qu'on lance au visage. Puisque le courage de nommer implique aussi celui d'entendre et de prendre, la maison Passages se referme parfois devant la misère des mots et la force des poings.

Les femmes de Passages travaillent de pair depuis vingt-trois années à mettre des mots sur les maux, en espérant toujours que celles qui y passent aient pris confiance en ce qu'elles sont.

Geneviève Hétu
Directrice de Passages

INTRODUCTION

Dans l'écriture, il n'y a pas de bonne ni de mauvaise direction. Qu'on écrive avec adresse ou hésitation, la parole s'élève, authentique et brute, la voix se façonne au moyen de l'écrit, cherche sa place, chante une mélodie unique et pourtant familière, devient littérature.

Chaque mardi, dans les ateliers et à d'autres moments en individuel, je tente d'offrir un espace aux femmes que je croise pour qu'elles puissent l'habiter tant par l'imaginaire que par leur réalité. Si elles trouvent à Passages un lieu d'hébergement qui répond à leurs besoins primaires, souvent dans l'urgence et la détresse, le papier accueille leurs pensées et répond au besoin de dire avec la même nécessité. Résidantes, visiteuses, intervenantes et membres du personnel – de la gardienne de la propreté à la directrice –, elles se sont prêtées au jeu de l'écriture à travers des rencontres pleines de vérité et de générosité. Ce partage est né grâce à un lien de confiance précieux, parfois foudroyant, que nous avons créé ensemble. Pour cette confiance, ce cadeau immense, je leur suis à toutes infiniment reconnaissante. Et il a souvent fallu faire vite, car la maison porte bien son nom : Passages est un lieu de transformation et on n'y reste jamais longtemps, c'est un lieu de mouvement.

Vous en saurez plus sur l'organisme en lisant le chapitre « La Maison Rouge », où l'on trouve des définitions de Passages et des Passagères. « Vues de l'intérieur » ouvre la porte sur ce qui les habite, alors que dans « Vers toi », des lettres s'adressent à l'autre ou à soi, puisque les rencontres sont inévitables dans la maison. Finalement, « Courage et autres nécessités » regroupe des réflexions sur ce qu'une Passagère transporte avec elle dans son parcours : courage, rêve, peur, engagement. Des gravures et des peintures créées dans l'atelier d'art de Passages viennent ponctuer les textes avec couleur et sensibilité. Pour compléter la démarche de la prise de parole, nous avons enregistré à la maison et en studio certains textes et même une chanson, des lectures d'une rare sincérité, d'une intensité palpable.

Les Passagères ne sont pas que des femmes en difficulté ou des intervenantes, elles sont des femmes comme vous et moi, comme vos mères, vos sœurs, vos blondes, vos amies, vos filles, avec toute leur complexité, leur beauté, leur douceur, leur douleur et leur rage de vivre. Des forces de vie. Ce livre porte leurs marques, la trace de leur passage, celui que nous aurons fait ensemble.

Marie-Paule Grimaldi
Formatrice aux ateliers d'écriture à Passages
Passeuse et Passagère

Sur les écritures en couverture
Sur le sommeil de merveille
Sur les apprentissages de gribouillages
Sur les bons devoirs pour savoir
Sur les expressions de compréhension
Les communications d'alphabétisation
Sur les citations
Melissa C.L.

Écrivain:
psychologue du cœur et de l'esprit, qui
raconte des histoires intéressantes pour
apprendre et approfondir les mondes
extérieurs et intérieurs avec leurs relations et
leurs influences, représentant la diversité de la
beauté et de la laideur et, en contraste, pour
affirmer des valeurs de soi, de la société,
à propos d'une époque passée, contemporaine
ou future; explorateur de l'invisible et
de l'éternel, des valeurs et des choses
importantes hors du temps, reflétant
sur le miroir de son âme.

Kalina H.

À quoi sert un écrivain ?
À ouvrir son état d'esprit selon la passion qui dort en nous.
À écrire son état d'âme, ses réflexions, à ouvrir
la porte de l'inconnu et du connu.
À mieux nous apprendre à éveiller notre imagination.
À créer quelque chose de positif, en gros à ouvrir ses sens.
Dans le positif ou le négatif, apprendre à être soi-même à travers
l'auteur, ce qui veut dire apprendre à redevenir l'enfant
qui sommeille en nous grâce aux idées d'un écrivain.
Cela peut changer une vie de bord.

Stéphanie L.

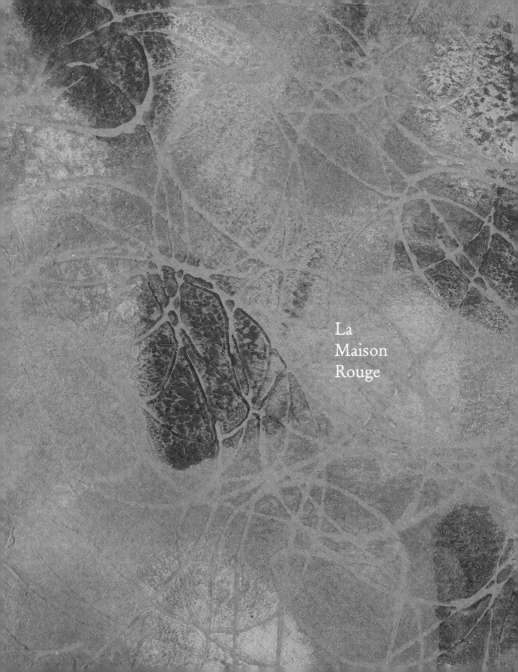

La
Maison
Rouge

La maison

La maison te protège, te garde, te respecte et surtout elle ne te juge pas. Elle te laisse être, elle te donne des outils et un exemple d'amour, de compassion pour réussir à te donner à toi-même ta petite maison, à toi-même te donner de l'amour, à toi-même te donner de la liberté, à t'exprimer toi-même et dire non à tout danger. Pour toi-même te donner le bien-être, le bonheur et le partager avec tes sœurs.

Maria Alejandra

Définition de Passages

Passages... un mot qui veut dire tant. Tant de femmes,
tant de rêves, tant de rires, tant de différences.
Passages... Je pense à toi et je souris.

Geneviève

Passages

Lieu où l'on passe, souvent repasse, où l'on se rencontre soi-même et l'autre au détour d'un passage.

Véro

Le sortilège des âmes blessées

Un refuge pour les âmes brisées
Un emblème de solidarité
Un refuge pour se ressourcer
Un remède pour guérir l'indifférence
Une eau-de-vie pour calmer les tempêtes

Chaque femme blessée se retrouve à l'entrée de cette porte
Cette demeure est un lieu de paix
Une nouvelle page s'écrit dans la vie de ces femmes meurtries
    par leur destin
Où ces âmes blessées viennent raconter leurs blessures
Sauvées par les fantômes qui les habitent
Par cette force de courage qui les pousse à vaincre leur peur
Leur difficulté à vivre les tempêtes de la vie

Meryem G.

Passages

n. f. : Passages est une terre d'accueil, la mère patrie
    de nous toutes, jeunes femmes brisées,
    indécises, courageuses, déterminées, aimantes.

Jenviev

PASSAGÈRE

Fille habitant Passages. Une femme parfois en larmes,
souvent à cœur ouvert, avec les sentiments à fleur de peau.
Une Passagère est sensible, même avec une image de fer.
Une Passagère ne fait que passer, car après son passage,
elle sera renforcée. Si jamais elle caresse la mort de nouveau,
Passages l'accueillera et l'aidera à se rebâtir. Une Passagère
est une femme qui se choisit.

Rose QuiFleurit

PASSAGES

Petite communauté composée d'êtres aussi étranges
que fascinants, des personnes humaines et vivantes,
des personnes qui ne laissent pas indifférent.

Isabelle M.

LES PASSAGÈRES

Elles sont si guerrières qu'elles m'inspirent la paix.
J'ai envie de paix.
                    Pour elles.

Isabel

Vues de
l'intérieur

Le jour se lève
L'ombre avait disparu
Et les murs de la cité s'étaient vidés
Il n'y avait plus personne dans les rues

La jeune femme aux mèches rousses
Était bouleversée
Elle avait écrit pendant toute la nuit
Cette simple phrase
Vive la liberté

Écrasée contre le mur
Et la terre continue de tourner
Le vent se lève
Il ne reste plus que ces quelques mots
Écrits sur les murs de cette cité
Vive la liberté...

Meryem G.

EN FERMANT LES YEUX

Quand je dors, je me laisse aller, je lâche prise et j'attends
que le sommeil vienne m'engloutir. Je ferme les yeux au
monde extérieur, je me concentre sur mon monde intérieur.
Peu à peu, mes pensées deviennent floues et j'en arrive à faire
taire mon mental, n'entends plus que cette voix intérieure qui
parle en moi. Je m'endors et je visite une ville imaginaire.
Eh oui, je possède une ville imaginaire dans ma tête. Dans cet
autre monde que je visite chaque nuit, je ne cesse d'évoluer.
Les habitants de mon village sont des êtres purs, des êtres
complètement dénués de jugements. Ils dégagent tellement
d'amour que je me sens envahie d'une douceur exquise.
Une nuit, je rencontrai Ezéchiel, un ange qui me dit vouloir
m'apporter un enseignement spirituel. Suis-je prête à
abandonner mes peurs pour revivre un retour à l'amour ?
Le plus grand miracle étant le changement de
mes perceptions.

Marie-Soleil

Où j'en suis

Déséquilibrée dans un escalier dans un manque d'inspiration
Bouleversée par le chemin de ma vie
Comment peut-on penser
Que notre vie soit ainsi mystère et s'envole vers la mer
Court-circuit gros mal de tête envahie par des pensées
    extravagantes
Mystère tourne autour d'un trou noir
Qui m'envahit de pensées noires
Découragée je prends l'espoir
De voir la réalité en face

       ***

Je coule tout au long d'un ruisseau rempli de vagues
    menaçantes
Chavira un bateau
Les vagues menaçantes l'emportèrent sur le sable
Démolie c'est la folie
Que faire
L'obstacle est arrivé
Comme un spectacle
L'angoisse ronge les os
La peur s'avance rapidement
La tête qui se demande
Pourquoi pourquoi moi
Ces épreuves ouvrent les yeux
Et elle se dit
C'est une illusion
Reprends-toi

Julya

LE GRAND JOUR (MON DÉPART)

Aujourd'hui est un grand jour pour moi

Je me prépare pour un grand combat
Le combat de ma vie
Non pas tout à fait guérie mais déjà grandie

Je suis ici aujourd'hui après douze jours de thérapie
Oui par moi-même j'ai pris cette voie avant que je me noie
Des embûches et des montagnes sur mon chemin
Je serais prête à tout pour arriver à mes fins

Discipline et détermination oui
Cela fait partie de mes nouvelles convictions
Le vrai grand voyage commence lundi
Oui c'est vrai je vais partir pour Shawi

Je pars en thérapie

Je me l'impose six mois sans répit

Oui six mois c'est long mais par contre je serai gagnante à vie

Je remercie la maison Passages de m'avoir aidée et hébergée

Marie

SOLITUDE PRINTANIÈRE

Le vide étreint mes entrailles tel un trou noir
Et mes larmes se perdent dans le désert de l'oubli

Comme un voilier je me laisse bercer par le doux mouvement
    des vagues caressant mes yeux
Et le cri perçant d'un goéland ricaneur se veut rassurant

L'éternité du ciel sur lequel on a peint quelques nuages
    m'enveloppe de son immensité
Et le soleil couchant se mire sous le firmament

Une brise de printemps souffle à mon oreille la proximité
    d'une perpétuelle renaissance

Maxine A.

Comme une coquille vide
la rage en arrière-plan / envers la vie
la rancœur autant que la peur
l'incompréhension d'une existence
semblant vouée à l'échec
grande faiblesse recherche
une main dans la détresse.

Xelle

ESPACÉE

Je creuse, je creuse, je creuse, nageant vers le ciel,
traversant la terre pour atteindre ma raison d'être, ma raison
d'exister. Je creuse, cherchant un univers pour respirer. Si je
n'obtiens pas cet espace, j'étoufferai et je bénéficierai de la
suffocation. En fugitive, je dois réagir rapidement. L'adrénaline
est à son maximum. C'est de la survie ou… c'est la mort.

Si j'en sors vivante, je pourrai passer à travers n'importe
quoi, n'importe qui. Jamais plus mon infini ne sera brimé,
car j'aurai vaincu l'impossible. La mort sera différente à
mes yeux, le suicide sera impensable.

Je creuse, je creuse, je creuse. Je m'acharne même si je ne
respire plus, même si je suis toute bleue, je continue, je
persévère, rien ne m'arrête. Plus il y a d'obstacles, plus je
deviens vorace. Je vais jusqu'au bout. Les pierres tentent de
me bloquer, j'ai froid, je ne sens plus mes membres. Je souhaite
m'effondrer car mon énergie s'étend sur les rochers.

Vidée et inconsciente, avec pourtant une hargne qui m'habite,
j'ouvre les yeux en faisant une dernière tentative et… je suis
enfin soulagée des limbes, pour jubiler de l'Éden qui m'entoure.
La nature est d'une merveille inexpliquée. Cette création
savoureuse est appréciée.

J'ai réussi à accomplir un mouvement de plus,
car sinon je serais décédée à un pas de la
victoire, de mon histoire.

Rose QuiFleurit

MA VIE ACTUELLE
(*La chanson d'Islande*)

Dans ma vie, je me demande s'il y aura une solution
 pour me rendre heureuse
Oui, j'aurai la solution
Il faut avoir la patience
Et je suis sûre, le jour viendra
Et je suis impatience
Car j'aime la vie
Je me sens ennuyée, malheureuse, tourmentée
Quelle vie tragédie
La vie viendra, un jour il viendra
Et je suis impatience
Car j'aime la vie

Islande

J'ai décidé de faire un jardin si simple
j'y ai mis un saule pleureur
dans un coin pour avoir un peu d'ombre
un rosier pour exprimer ma beauté
des œillets pour que ça soit douillet
un pommier pour croquer à pleines dents dans ma vie
des légumes pour me salir un peu et y goûter à la fin de l'été
des tulipes pour les admirer
quelques buissons de groseilles parce que j'adore ce fruit

D'y mettre de l'amour et d'en prendre soin
ça sera naturel comme moi

Quelques mauvaises herbes, mais ce n'est pas grave
on finit toujours par les enlever

Alyce

Cœur brisé

Je sais maintenant que notre relation
N'a été qu'une folle illusion
Un beau grand rêve auquel je m'accrochais
Qui vient de s'effondrer à tout jamais
Notre histoire
Celle à laquelle j'ai tant voulu croire
Notre amour
Celui qui aurait dû durer toujours
Tout ça n'a jamais existé
Tout ça je l'ai inventé
J'aurais envie de crier
De hurler au monde entier
De pleurer sur tous les toits
Je n'aime que toi
Je sais
Le temps apaisera ma douleur
Je sais
Même si je nage en pleine noirceur
Mon cœur est en mille morceaux
Et je ne trouve plus les mots...

Geneviève V.

À L'HEURE DE LA CONFUSION

Tu touches à quelque chose
enfin
tu rêves
tu tends les bras vers quelque chose
quelque chose qui fait bobo
et qui n'est pas très beau à raconter
tu brasses le passé
la marde pour ne pas la nommer
ça va chialer tout à l'heure
tu en tomberas peut-être malade
ah oui! ça, ça se peut
avec toutes tes croyances bizarres
de poupées africaines et d'encens parfums au pouvoir
tarot céleste et bonne vie
les racontars t'ébruitent que tu finiras morte
raide morte, seule et souffrante.

Il y a de quoi tout risquer…

Julie

Si j'étais un chemin

Si j'étais un chemin, je serais une rue, le nom de ma rue
porterait mon prénom, qui servirait aux gens égarés de guide
pour les instruire, pour promouvoir leur futur, pour aller vers
une ère nouvelle et atteindre un objectif concret et fructueux.
Étape par étape, je chevaucherai mon chemin vers la loi et
l'ordre de la société qui sont si durs à apprendre. Parmi toutes
ces influences qui sont les obstacles de ma vie (drogue,
prostitution, fraude, gambling, avortement, mensonge, pusher,
gangstérisme), avec les minimums qu'on m'aura enseignés,
je saurai réaliser mes objectifs. Mes yeux seront le feu pour
éclairer mon chemin, la terre où naîtront mes pas pour me
guider, l'air pour respirer, l'eau pour me laver, assouvir ma
soif et m'énergiser. Je ne regarderai surtout pas en arrière, car
voilà où gisent l'envie, la gourmandise et le désarroi. Honteux
quiconque rebroussera chemin vers ses anciens échecs. Car
surmonter ses obstacles est une chose, mais maintenir une vie
sans obstacles et sans difficultés est une tout autre affaire.

À chacun son combat.
À chacun sa victoire.
À chacun son bonheur.
PEACE

Hurricane

PHOENIX

Fire and flesh –
          ash and dust...
How many times we must
       FLASH
And can again reincarnate
And then again –
To fire within flame.
Cause everyone pays with pain
And fire turns us into smoke:
When pain heart broke
It turns to rock
To be never hurt again.

Kalina H.

rouge

symbol d'éternité selon   Shambala /pays/ - Nicolai et
                               Svetoslav Ryorih

$(-)$ $(+)$
∞ $=\rho$ 8 (le loi d'univers) $\to$ les nombres des bons plems/
math /algebrique/   /entiers
symbol   en octave

                    changement periodique du structure atomique
                    par 8 atoms = les nombres des groupes
apparence   dans le système periodique d'atom = 8
l'air de des ondes
electromagnetiques
pour les magnits,
neutrons étoiles,
électrons - orbitales atomiques - 8
etc.

J'ai consommé longtemps des drogues dures et par injection.
J'ai également fréquenté ces gens-là. J'ai vu de mes amis
changer peu à peu de personnalité pour devenir de tout autres
personnes. J'ai vu des gens bons devenir des gens mauvais à
force de consommation.

Les p'tites gangs de punks que je fréquentais au début, qui
clamaient la solidarité, l'égalité, l'honnêteté et l'indépendance,
et ce, dans tous les sens, MOI, je me reconnaissais là-dedans.
Je n'avais pas à modifier mes façons de penser ou ma
personnalité, non! Je n'avais qu'à rester moi-même et c'était
bien comme ça, car «à bas les préjugés!» disaient-ils.

Ouais, c'est bien beau tout cela, sauf qu'il y a des petites
phrases que l'on répétait souvent, du genre:

NEVER TRUST A JUNKIE

PUNK NOT JUNK

ONCE A JUNKIE ALWAYS A JUNKIE

Quand j'ai commencé à consommer, bien sûr ces bonnes personnes m'ont lentement laissé tomber.

Une fois, plusieurs fois même, des gens m'ont dit ces fameuses phrases et ça m'a profondément touchée. Moi, j'y croyais à nos principes et j'y étais très à cheval.

Je me suis donc juré de toujours rester moi-même malgré toute la quantité de drogue que je pouvais prendre. J'avoue que ça n'a pas été toujours évident, mais j'y suis bien parvenue puisque, durant ma grande période de consommation, plusieurs personnes ont dit de moi que j'étais une fille authentique, franche, honnête, etc.

En fin de compte, je n'ai aucun slogan me décrivant, mais je peux en donner trois qui ne me représentent absolument pas, même si j'ai été une junkie :

NEVER TRUST A JUNKIE

PUNK NOT JUNK

ONCE A JUNKIE ALWAYS A JUNKIE

Marie-Pierre B.

Par un froid qui laisse présager la mort
Mon seul et unique réconfort
Réside au fond d'une bouteille de fort

Ayant dans les veines plus de toxicité
Qu'un Hiroshima centuplé
Il faut que je trouve une place où squatter
J'veux pas bouger, mourir de froid
Mais un policier m'oblige à décoller
«Si je te revois c'est un ticket qui t'attend»
Tu m'en diras tant, j'vais jamais l'payer

Tranquille et seule sans foi ni loi
Dans la ville désertée par les passants
Et les bien-pensants
Je regarde compagnons et ennemis évoluer
Dans leur propre espace-temps
Déconnectés ? Sûrement
Lucides ? Par moments
Toutes ces vies torturées
Racontées sous les lumières glauques des lampadaires
Me rappellent d'un coup ce que j'ai à faire

Les courroies de mon sac me creusent les épaules
Mais c'est tout ce que j'ai
La honte et la peur sont encore plus lourdes à porter
Sac à dos croûté
Échine courbée
Et je m'écroule complètement saoule
Dans les bras du seul qui veut bien de moi
Morphée

Toute cette douleur vive
Me donne le mal de cœur et de vivre
Panser mes plaies et penser à un avenir
Et si la mort m'attend, je ne suis pas
   prête à en finir
Gelée, congelée ou incinérée
Décidément, la vie ne m'a pas
   encore congédiée

Erinkel

COKE FUSE

Imagine, tons of aluminum boot camp kids
mics in their left foot, polar bears, 3 ducks, beavers and
yes, a fucked blue-eyed pyramid in their pockets: not even
enough to catch the next hit...
However, in their cracked hearts, a mob deep conviction that
music is really ruling the world...

I'm from another world
But I won't say a word
It's a system of bar code
Pic pac, Nic, nac, tic tac woo, that's scrap and yes fuck that
Cadillac!
Us, half human, half machine
In this true lies we breathe in
Where wii have to consume more then what we are
In disorder to keep track of what we did

There's a GAP between the rich and the poor
Aristocraptsee, I mean our damn blood family
Keep kids from cripting at night
Com, on G, let's mix one and another so we
Can bee more then what we are

A Puf here, a Puf there
Whenever, whichever, however kool aids baby timelessly
wants to jump over those who welcome them with grace
taking them for felty fish gardener...or maybe simple see thru
worker.
But whatever, the beat is always taking over combine to the
musical cord links them like rain bow-wow ink and sorry
that's forever.

Unit E!

Quand je pense à ma vie
je n'ai aucune raison d'être ici
j'attends ma délivrance
avec impatience
pourquoi je ne cesse de me couper
parce que ça m'aide à oublier
oublier ce qui me fait pleurer
ou ce qui m'a traumatisée
mon cœur a été brisé
à un point tel que je veux quitter
désolée si ça fait pleurer les gens
c'est pas voulu c'est important
la vérité est que je suis incapable
incapable de rester
dans ce monde incomprenable
il y a tellement de problèmes là-dedans
que tout l'espoir que j'ai
c'est de vous quitter pour l'éternité

Priscilla L.

Une note poétique

Un souvenir qui me faisait souffrir
Des séparations sans communication
Des deuils de cercueils des promesses sans caresse
Des blocages d'images de rage me reposent
De ce passé me faire bronzer et dépenser des distances
Sans résistance de souffrance sans interférence
Les couleurs que je croise sont turquoise
Et je les apprivoise et elles sont narquoises
Les assassinats font beaucoup de pensionnats pour les orphelinats
Beaucoup de tracas beaucoup de fracas
La cruauté que cette immoralité de réalités de passés violentés
D'émotions brisées de les balayer de les chasser
De les transformer en originalité de
Mondialité

Melissa C.L.

Cheval sauvage

Moi, fille attachée par la vie
Que j'aimerais tant pouvoir être libre
Libre comme une jument blanche qui galope sur les plaines
Sans souci, sans douleur et sans peur
Me sentir bien et saine d'esprit
Ne pas être obligée de me cacher de peur d'être mise en cage
La jument élancée et fière d'être en vie
Peut vivre sans aucune crainte de se faire capturer
Pour en faire un pantin pour les humains
La jument vêtue de sa belle robe blanche
Peut être fière d'être une créature de Dieu
Moi mise en cage par ma propre race
Je ne suis pas sûre d'être fière d'être humaine
Pourquoi tant de violence et tant de méchanceté entre nous
Moi, fille attachée par la vie
Souhaite être libre comme un cheval sauvage

Katia E.G.

LE SOUHAIT D'ISLANDE

Moi, Islande, je souhaite dans six mois réaliser mon projet actuel.
Trouver mon appartement pour m'installer stablement.

Islande

Vers toi

YELLOW BOOK

Premier mardi / dernier jour
Qui suis-je
Aujourd'hui / hier
Un instant d'après
Un instant d'avant
Celle qui se nomme
Celle qui arrive
Celle-là – diras-tu / dira-t-il / dirais-je
Une fille / une dame / une enfant
Un oiseau juché / une sœur perchée / au haut du plus fragile
    balcon
À peine un nid formé autour / par quelques pailles
Il ne s'agissait bien que de quelques carnets de route
Ce voyage nous l'aurons fait / entre nous
Et tu disais souvent: on est encore ici
Puis il suffisait d'un: on continue

Et on se levait d'un bond / d'un pas alerte
Qui éteindra les feux
Qui répondra aux battements
Qui dansera sur les cendres / encore / maintenant
Au visage / les paupières qui se ferment
Sur le jour en éclats / ce premier mardi / dernier jour
Qui suis-je
Aujourd'hui / hier
Un instant d'après
Un instant d'avant

Celle qui arrive / le cœur mi-clos
Celle qui n'effacera pas / les chemins de la nuit
Celle qui a tant cherché / une direction
Avec ton nom qui résonne entre mes tempes / pour seul
    indice / ton visage en sang qui crie
Cela est un rêve prémonitoire : dit-on
Le parcours était facultatif / les carrefours multiples
Et les fossés : trop souvent empruntés

Encore maintenant
Celle-là – elle va diras-tu / dira-t-il / dirais-je
Elle s'en va d'un seul trait
Ce que je fais / seule moi en connais les détours
Ce que j'aime / a un sens à mon regard
Sur l'instant croisé / il s'agit de savoir oublier
Les trajets avec l'autre / c'est autrement
Quoi dire de ce qu'on aime
Quoi dire de ce que je veux
J'aime la vie
Tu peux être mort / parti / perdu

Quoi dire de ce qui s'absente

Je veux seulement / seulement / pas m'ennuyer
Et plus crier la gueule ouverte
Parmi les pigeons
Et plus douter quand je tends / la main

Même si j'ai seulement / seulement / voulu aider un / parmi
    tant d'autres
Un encore vivant
My brother / my bird
Et dire que je l'ai peut-être tué
Et dire qu'il va peut-être me tuer
Aujourd'hui / demain
Hier / cette nuit
Quoi dire de ce que je veux entendre
Sinon une voix qui me dit :
Oui il est bien vivant

Oui je peux reprendre mon souffle

Oui je te tiendrai la main
Grand frère / petite enfant
Aujourd'hui / demain
Peut-être cette nuit
Et il y aura d'autres plumes / que celle-là
Laissées derrière les murs / de la plus haute forteresse
Et d'autres pages
Comme autant de pansements
Sur le vide / de l'autre / de soi

Rose Mary Leda

Melissa, quand tu fais des réussites, je t'aime. Quand tu exprimes tes émotions, tu viens de faire un grand pas dans la société, je t'aime. Melissa, j'avais cru que tu t'étais oubliée dans la relation de tromperie qui t'avait déchirée. Finalement, tu t'es retrouvée quand tu t'es mise à chanter et à rencontrer d'autre monde, à créer et à dessiner sur des toiles sur des milliers de lumières étincelantes dans les cieux. Il y a la fin du deuil qui t'attend, tu as fini d'être au fond du néant.

Chillo... Tu fais des voyages, tu vois d'autres paysages. Réalise certains messages, quand tu vois certains mirages. Sur ton chemin où coule le ruisseau, ton chagrin s'en ira comme un bateau de croisière dans l'atmosphère.

N'oublie pas que t'as juste une amie, c'est ton image qui se reflète sur la surface d'un lac comme l'eau qui claque.

Melissa C.L.

I'm sure she tought

I would always be by her side.

Anita

LA VIE DE MA MÈRE

Je vais vous conter ce que je sais sur ma maman. Ma mère, le plus loin que je me souvienne, elle était bien intérieurement avec papa. Moi, c'est ce que je voyais dans ma petite tête d'enfant. Quand mon père est décédé, c'est là que ma mère a été chamboulée dans sa vie. Elle est devenue toxicomane et elle souffrait. Tellement que je le ressentais. Elle buvait, elle faisait du crack et sniffait de la cocaïne. Je crois qu'elle n'avait plus grande estime d'elle-même. Je me souviens qu'elle tombait souvent sans connaissance et qu'on devait lui mettre une débarbouillette dans le cou pour qu'elle revienne à elle. Je crois que ma mère se sentait démunie et vraiment seule après le décès de mon père. Papa lui manquait énormément. Mon père a toujours travaillé dur pour subvenir à ses besoins et aux nôtres. Après sa mort, elle n'avait plus personne pour s'occuper d'elle. Je sais que ma mère, au fond d'elle-même, même s'il y avait une foule autour d'elle, elle se sentait seule, si seule qu'elle consommait pour oublier tout. Par exemple : oublier sa solitude, oublier son enfance, oublier le décès de son mari, mon père, et oublier qu'elle respirait. Elle a eu après une autre grosse perte : moi. Ma mère a toujours voulu une fille et elle m'a eue. C'est pourquoi quand la D.P.J. est venue me chercher, elle a sombré encore plus dans la consommation. J'aurais aimé qu'il y ait plus de ressources pour les femmes en difficulté, comme ça, sa vie et la mienne se seraient déroulées autrement.

Maman, comment tu as fait pour rester debout quand moi j'avais honte de toi, et que moi je te le disais à haute voix ? Comment tu as fait pour rester forte après tout ça, pour continuer ?

Je t'aime, maman.

Katia E.G.

Une lettre pour toi

J'ai tant à te dire que je ne sais par quoi commencer.

Tu es parfois heureuse, parfois triste
Tu es parfois ricaneuse, parfois rien ne te fait rire
Parfois illuminée, parfois désillusionnée
Tu es parfois en pleine possession de tes moyens
parfois tu ne les possèdes plus.

J'y pense et j'ai envie avant tout de te dire merci.
Merci d'être qui tu es, merci d'être toi.
Tu es vraie, et ça, ça me fait du bien.

Tu sais, ça fait plusieurs années qu'on se connaît maintenant.
Je me rappelle encore notre toute première rencontre à Passages :
tu étais remplie de rêves et d'espoir. Tu m'as tout de suite touchée et,
je l'avoue, ta souffrance m'a aussi beaucoup bouleversée.

Mais maintenant, c'est ton courage qui me vient en tête quand je pense
à toi. Cette force que tu as, qui te fait passer à travers tout ce qui peut
t'arriver. Parfois, j'aimerais avoir ta force, tu sais.

Tu as marqué mon passage à Passages.

Continue tout simplement d'être.

Geneviève

CARTE À MOI-MÊME

Je suis tellement heureuse que tu aies arrêté de vomir,
de te détailler avec un œil minutieux devant le miroir et
que tu voies la belle personne que tu es. Je suis fière
que tu grandisses, que tu apprennes à mettre tes limites,
que tu prennes soin de ton cœur.

Je t'aime, je ne veux plus te voir chassée par l'anxiété,
la peur de ne pas être aimée, parce que tu es aimable et
que t'en as, des preuves d'amour, qui se manifestent
de partout. L'univers se délecte de fleurs pour toi, ma belle
tu commences l'école avec un corps nourri. Tu n'es pas morte
à cause de ton anorexie, tu peux dormir sans avoir peur que
ton cœur va s'arrêter, tu ne te détestes pas, tu ne t'arracheras
plus les cheveux.

Mon amour et ma confiance en toi sont inconditionnels,
maintenant je peux te dire ça, mais parfois j'ai peur que
tu fasses une rechute. Je sais que tu n'arrêtes pas de penser
à perdre du poids pour améliorer ta relation avec toi-même.
Je te félicite pour ton effort de vouloir vivre, d'essayer,
d'ouvrir ton cœur à ce sujet qui est tellement dur qu'il
t'a amenée à la destruction non seulement de ton cœur,
mais aussi de ton âme. Petit à petit, tu te reconstruis,
tu te nourris. Comme Marie-Paule a dit, il faut créer
des événements positifs pour que tu retrouves confiance
dans le futur. Prends un jour à la fois, concentre-toi
en l'amour et la protection de ta condition humaine.
Je ne t'abandonnerai jamais, reste en vie, aime les autres
et reconstruis le ciel dans la terre.

Maria Alejandra

À toi(s)

Le plus souvent tu es bien jeune. Tu pourrais être ma fille.
Je n'ai pas eu de fille. C'est fascinant une fille. En plusieurs
points, tu me rappelles moi il n'y a pas si longtemps et même
maintenant. Et tu sais quoi ? Quand je te regarde, je me dis
que tu pourrais être la bien-aimée de mon grand garçon.

À ma grande surprise, tu m'as charmée avec tes propos riches
d'expériences, parfois crus, souvent pleins de vérité, de
solitude, de rage et de leçons de vie. Parfois, tu me fais peur
aussi. Je n'aime pas la colère. Ça me fait trembler.

Tu sais, il y a des jours où j'aimerais être à ta place. J'aimerais
pouvoir, moi aussi, arriver à Passages et… flâner, lire dans ma
chambre, regarder un film, manger sans avoir à préparer le
repas, parler à une intervenante si j'en ressens le besoin et
aussi ne rien faire. Pour moi, c'est tout un art « rien faire ».
Mais oui, je fais quelque chose, je fais… Rien.

Parfois, il m'arrive de me demander ce que tu fais là parce que
je trouve que tu as l'air bien. Je ne connais pas ton histoire.
J'imagine que tu n'es pas aussi bien que je le perçois puisque
tu es ici. Ou alors, es-tu sur la voie de devenir bien ?

Aujourd'hui, tu m'as dit que j'étais courageuse de faire le
travail que je fais ici, dans cette maison, dans Ta maison. Moi,
je ne sais pas si je suis faite pour être ici. Pas forcément à cause
du boulot, mais parce que ça me touche quand tu pars…
le détachement, ce n'est pas facile à vivre pour moi. Et Dieu
sait s'il y en a des départs ici.

À la fin de ma journée de travail, j'ai deviné que tu partais. Je ne l'avais pas vu venir. Tu ne m'avais pas prévenue. Tu ne le savais même pas toi-même, je crois. Des ambulanciers et un policier étaient là pour venir te chercher, t'aider. J'ai croisé ton regard. J'ai vu de l'inquiétude dans tes yeux et du calme aussi.

Tu allais partir, je me croyais forte, je ne pleurais pas, mais sans que je m'y attende, dans un geste des plus spontanés, tu m'as prise dans tes bras. Alors là j'ai craqué, mais tu n'as rien vu, car je suis allée verser mes larmes dans un petit local sombre, toute seule, le temps qu'il fallait.

Tes valises étaient là, sur le bord du trottoir. Est-ce que tu reviendras ? Où t'en vas-tu ?

Sur le chemin de mon retour à la maison, j'avais un je ne sais quoi dans la gorge et je sentais mes yeux mouillés. J'avais bien cru m'apercevoir que tu n'allais pas très bien depuis quelques jours. Je ne savais pas ce que tu avais.

J'aurais aimé te dire bonjour, bon courage, ma belle…

Nathalie J.
Gardienne de la propreté

LA TRAVERSÉE

Si profondément **ça** me touche
Je suis triste et je n'y arrive pas
À accepter que cet environnement, cette société
Crée autant d'exclusion, de misère et de pauvreté
Je vis en **ça,** je fais partie de **ça**
C'est incompréhensible
Je ne veux pas y participer
Et malgré moi, je le fais.

Continuellement je me questionne
Ça cesse des fois pour un instant.

Je ressens. Je ressens vraiment.

Cette sensibilité de tout mon être
Je suis en contact avec l'autre, avec toi.

Ça vibre, **ça** circule
Ça brûle dans mes veines
Cette intensité dans tout mon être
Je me sens vivre, vivante, je suis moi
Le vrai, le réel, c'est si puissant.

Être moi, qui je suis
Réellement
Sans peur, sans jugement.

Avec vous, avec toi
J'apprends, j'apprends à apprendre
J'apprends toi, j'apprends moi
J'apprends la vie
À risquer, à aimer, à me tromper
Me montrer vulnérable
Montrer sans censure mon humanité.

Pas à pas, jour après jour
Sur cette route, j'avance
Elle m'a menée à vous, à toi, à Passages
Univers si particulier, si attachant
Où nos chemins, nos vies se rencontrent.

Mon passage à Passages…
Parce qu'on aura été ensemble
Parce qu'on se sera donné une chance
Au moins une
De se connaître
Pour se reconnaître et s'aimer
… Marquera toute ma vie.

Tout fait sens parce que tu traverses mon parcours.
Et je traverse le tien.

Isabelle M.

Maman

J'aurais voulu prévoir ce qui allait arriver
j'aurais pu mieux m'y préparer
même si tu me dis que tout va bien aller
je ne peux m'empêcher de m'inquiéter
je ne sais pas ce qui va se passer
mais notre temps est compté
je voudrais tellement te donner ma santé
pour pouvoir alléger tes souffrances et te garder à mes côtés
je devrais sauter de joie en voyant que tu es toujours près de moi
mais mon côté négatif garde la blessure vive
ton cancer est une maladie méchante
qui laisse dans mon cœur une plaie béante
j'ai beau tenter de me convaincre que tu es là pour rester
j'ai terriblement peur que tu passes de l'autre côté
peu importe ce qui va se passer je serai là pour t'épauler
quand le grand moment sera arrivé je serai à tes côtés
et tu auras toujours la plus grande place réservée dans mon cœur
pour l'éternité

Océane

Aux femmes de ma vie

À toutes ces beautés coquettes
À celles qui se brûlent comme des allumettes
À celles qui ont frette
Attends, je t'apporte une couverte

Jumbo Pack

VIVANTES

Si j'avais des enfants
Je voudrais des filles comme vous
Mi-anges, mi-démons
Qui gardent courage
Même en pleine rage.

Si j'avais des filles
Je voudrais des perles comme vous
Moitié soyeuses, moitié pleines d'épines
Qui me parlent d'amour
Même en peine.

Si j'avais des perles
Je les voudrais colorées comme vous
Moitié blanches, moitié noires
Sans nuance de gris
Même en pleine nuit.

Si j'avais des couleurs
Je peindrais votre monde comme vous le vivez
Moitié beau, moitié cruel
Et surtout sans pitié
Jamais.

Si j'avais des enfants
Si j'avais des filles
Si j'avais des perles
Si j'avais des couleurs
Je les nommerais
Anne-Marie, Katia, Dominique, Nancy,
Marie-Ève, Nathalie, Julie, Melissa, Marie,
Meriem, Annie, Karine, Marie-Andrée,
Vanessa, Marie-Josée
Je vous nommerais aussi
Espoir, force
Courage, amour
Énergie
Car c'est ce que vous êtes pour moi.

J'admire l'intensité avec laquelle vous vivez
La force qui vous anime
Qui vous permet de tenir votre monde
À bout de bras
J'admire la fierté avec laquelle vous riez
L'animosité qui vous permet de crier
Au monde entier
À quel point vous êtes extraordinaires
À quel point vous êtes battantes
Survivantes
Et vivantes.

Marie-Noëlle

Je te dis que je t'aime, mais que je me sens mal d'avoir agi comme ça. Je ne sais plus quoi dire. Alors je vais vous parler de l'amour. On se sent tellement bien quand on aime que je me demande pourquoi il y a encore des meurtres et du racisme et toutes ces méchancetés qu'on se fait entre nous en toute innocence, comme un enfant qui se découvre.

Stéphanie L.

Courage
et autres
nécessités

Le courage

Le courage de commencer ta journée avec un bon déjeuner
Le courage d'accomplir des missions pour pouvoir faire des activités
Pour te donner la force de penser à des choses positives
Te donner la force dont tu as besoin pour passer ton après-midi
D'avoir le courage de demander de l'argent aux gens
Pour pouvoir t'acheter des cigarettes, etc.
D'attendre que le temps passe
Patienter jusqu'à l'heure du souper
Pour qu'après tu recommences à penser à tes inquiétudes
En te demandant où va-t-on coucher ce soir
Avoir le courage de chercher des solutions
Le courage de te dire que tu es capable de continuer
Puis se dire que la vie est belle qu'il faut en profiter
Le courage de garder ta bonne humeur quoi qu'il arrive

Julya

J'AI PEUR DE…

J'ai peur de toi, de moi, de l'avenir, du passé, du présent, du futur. Mais surtout de moi-même, de la vie, de la mort, de la joie, de la honte… du bonheur… Peur de la routine. Peur de la poutine !

Judy

LE COURAGE

Le courage, c'est ce que ça prend pour bien vivre avec ses choix ; c'est ce qui fait qu'on veut toujours aller vers le mieux ; avoir le courage de toucher le fond pour être capable de remonter, de revoir le soleil, de faire face aux prochaines averses ; parce qu'on se dit qu'il finira bien par faire beau, maudit.

Jenviev

Qu'est-ce que le courage

Il y a une définition à tous les mots, mais jamais un
dictionnaire ne transmettra d'émotions. Pour moi, le courage
c'est un geste quotidien et il peut s'appliquer à tout et à tous.

Le courage peut se représenter par l'étudiant décrocheur
qui finit enfin son secondaire.

Il peut aussi se définir par des paroles qui nous viennent
du cœur et que nous laissons s'évader en oubliant les
conséquences possibles.

Le courage c'est l'appel à l'aide du dépressif ou du jeune
de la rue qui cherche des solutions.

Cela peut aussi être de s'accrocher à la vie quand quelqu'un
de cher à notre cœur perd la sienne ou nous quitte.

De continuer d'avancer, même les yeux bandés, quand
la lumière au bout du chemin semble s'être éteinte.

De sortir la tête de l'eau juste avant de se noyer.

Le courage, on le cultive de la même manière qu'une fleur.
Il faut l'arroser de notre engrais de vouloir vivre et de
positivisme, de la même manière que l'on nourrit nos peurs
et nos angoisses.

Vivre est en soi un acte courageux.
Accrochons-nous, la course n'est pas finie !

Red Queen

L'ENGAGEMENT, C'EST...

D'être là quand quelqu'un a besoin
La pire des prisons
Important, et doit être respecté
L'engagement, c'est comme une profonde respiration
C'est un geste normal
Difficile mais essentiel
Ça me dit rien
Ça me dit rien
Ça me dit que c'est loin, des fois
Y'a aucune épreuve à mon mental, j'ai tout vécu
Le meilleur moyen de se sentir trahie
Ou de trahir quelqu'un à qui je tenais
L'engagement, comme ma liberté en gage
Un moyen de ne pas être seule
L'engagement désengagé peut m'amener à être seule
Mais la solitude, c'est se réduire au silence social
L'engagement est un sentiment d'appartenance
C'est tout d'abord une présence à moi-même
Un moi-même social
Naître, plus que soi
Vivre un moment d'appartenance

Collectif : Marie-Paule, Vanessa C., Donalissa, Meryem G., Melissa
C.L., Isabelle G., Xelle, Erinkel

LE COURAGE

Courageuse, courageux, encourager, découragée, découragé,
encouragement, découragement, rage, ragement, rager,
enrager, enragée, enragé.
Une personne découragée, un peuple découragé, un monde
découragé.
Est-ce qu'une personne décourageusement découragée peut
devenir encourageusement encouragée ?
Une personne enragée, un peuple enragé, un monde enragé.
Est-ce qu'une personne enrageusement enragée et découragée
de courage peut s'encourager et devenir courage ?
Encourager une personne lui donne le courage de rager son
découragement.
Une personne courageuse, un peuple courageux, un monde
courageux.
Encourager une personne découragée, encourager un peuple
découragé, et avoir devant nous un monde de courage.

Vanessa C.

Rêve de femme

Moi, personnellement,
je crois que toutes les
femmes qui vivent des
difficultés physiques,
mentales et sociales rêvent
d'être une autre personne
et d'avoir une autre vie.

Katia E.G.

LE COURAGE

M'accorder le droit d'en manquer aussi. Mais être
bien. Que je fasse ce qui est préférable pour moi,
ou non, je veux être en paix avec mes agirs. Avoir le
courage de perdre le contrôle parfois, c'est ça aussi
vivre sainement.

Joelle

Combien de courage pour soulager le cœur brisé ?

Isabelle M.

Comme une vague, mon courage peut être fort,
mais aussi à peine perceptible.

Geneviève

Une porte, un visage inconnu, il faut du courage pour s'avouer vaincue. L'instant d'un moment racontant douleur, tristesse et déchirement, mal aimée, maltraitée, je vois la beauté sous cette peau abîmée. Le temps détruit, le temps reconstruit en marge de tout ce qui se vit.

Est-il fou d'espérer la réconciliation de deux mondes si étrangers ? L'un si aveugle, l'autre oublié. Entre les coups et la rage parfois je m'enrage. Tant de talents annihilés pour des raisons inavouées. Être, dire, penser comme cet agglomérat ; comme de grands artistes, elles n'ont pas de patrie. Art de plaire, art de convaincre, il leur faut du courage pour exister. Objets d'injustice, elles sont vues comme des bêtes, pourtant elles ne demandent que des caresses. Pleins de vanité, ils ne font que les tuer.

Mireille

MA FORCE, C'EST…

Ma capacité de respecter les autres
Ma compréhension
De me forcer à rester forte
De les soutenir quoi qu'ils vivent
Ma force, c'est aussi ma souplesse et parfois ma faiblesse
Ma force est de reconnaître ma faiblesse
De rester en vie
Vivre et rester consciente
De ne pas accepter l'intimidation
Surtout pas celle que je me fais à moi-même
Et celle que je pourrais faire à autrui
Comprendre le monde dans lequel je vis
De ne jamais oublier mon trésor
Et de le protéger

Collectif : Marie-Paule, Melissa C.L., Isabelle G., Xelle, Erinkel

LE COURAGE

Le courage, c'est sortir de son lit le matin même si la nuit ne nous a pas porté conseil. C'est sourire à la vie même si elle nous grimace. C'est dire oui à l'amour qui nous a si souvent déçus. C'est dire non à la dépression même si on la sent dans les environs. C'est accepter que je n'ai pas la force de changer les gens et les choses. C'est croire au destin même si on ne le comprend pas. C'est conserver sa foi en Dieu même si elle est mise à rude épreuve. C'est continuer de s'émerveiller devant l'innocence d'un enfant. C'est savoir pardonner, c'est accepter qu'on peut aussi se tromper. C'est pleurer si on en sent le besoin.

Lola Giovanni

LE COURAGE

Le courage, c'est le désir de réussir. De réussir à faire la paix avec toi-même et avec tes proches. De réussir à continuer quand tout le monde te demande d'arrêter. De réussir à aimer ceux qui t'ont abandonnée quand tu avais besoin d'eux.

Nicole

JE RÊVE DE...

Je rêve d'un immense soleil orange, chaleureux, qui répand ses rayons partout uniformément. Tout le monde y aurait droit. Je rêve d'unité, d'acceptation, de paix et d'espoir. Je rêve de changements et de la fin de tous les conflits, peu importe les conséquences. De nature, d'amour, d'harmonie, de paix, de rires, de silence. Je rêve d'un jardin ; la pluie me tombe sur le visage et le vent me chuchote dans les oreilles. De faire ce qui me passionne jour après jour, de musique, de couleurs et de vibrations. Je respire profondément. Tous ces rêves me font tellement du bien. Je sais maintenant quelle est ma voie, parfois incertaine mais motivée, confiante et de plus en plus mature. Je sais qu'en suivant les rayons de mon propre soleil, je peux alors rayonner vers l'autre. Cette lumière sur moi, en moi, tout autour. J'arrive à y croire. Et ça fait encore plus chaud dans la fournaise de mes idées et ça fond dans le fond de mon ventre. Je rêve de tout ce qui m'habite, de ce que je découvre et de ce que je continuerai à découvrir. Je rêve d'un avenir prometteur, de voyage dans un lieu exotique, loin de tous les stress de la grande ville, sans angoisse ni panique. Je rêve du bonheur intense. Je rêve d'un monde meilleur où chaque être humain a de la valeur et où l'entraide devient notre pain quotidien. Je rêve d'avoir beaucoup d'inspiration. Je rêve d'avoir réponse à tout, je rêve d'utopie et l'espoir remplit mes rêves. Mes rêves me nourrissent, me font peur, m'apaisent. Je rêve et je me laisse porter.

Collectif : Jenviev, Mireille, Caroline, Rachel, Isabelle B., Marie-Noëlle, Rachelle, Michelle P., Isabel, Mylène, Geneviève, Vanessa C., Nicole, Nathalie J., Jennifer, Joelle, Mathieu, Marie-Paule, Isabelle M.

CRÉDITS ET REMERCIEMENTS

Passages est une ressource d'hébergement et d'insertion qui offre à des jeunes femmes en difficulté de dix-huit à trente ans une alternative à la rue et à l'exclusion. Parallèlement à l'accueil et l'hébergement, la maison propose des ateliers d'art, d'écriture et de théâtre, ainsi que des activités d'implication communautaire. Ces activités sont des points d'ancrage importants pour les jeunes femmes, des lieux où elles développent et affirment leur identité sociale.

Ce projet a été rendu possible par l'événement de levée de fonds Les Indispensables. Créée en 2007, cette soirée rend hommage aux adjointes à la direction de grandes entreprises du Québec. Les fonds recueillis permettent aux Filles électriques de financer des projets de création littéraire avec les femmes en difficulté.

Fondées en 2001 et dirigées par D. Kimm, Les Filles électriques (LFÉ) ont pour mandat de créer et de diffuser des œuvres artistiques interdisciplinaires liées à la poésie, au *spoken word* et à la performance. L'événement majeur produit par l'organisme est le Festival Voix d'Amériques. Les Filles électriques offrent une tribune aux voix originales, aux pratiques émergentes et à la relève et donnent une place à des voix traditionnellement exclues, dont celles des femmes en difficulté.

Nous tenons à remercier :

Marie-Paule Grimaldi, animatrice des ateliers d'écriture et codirectrice artistique du livre avec D. Kimm, pour avoir mené ce projet du début à la fin avec délicatesse et attention.

Lise Jean, ancienne directrice de Passages, pour avoir accepté le projet, et Geneviève Hétu, directrice actuelle, pour l'avoir poursuivi.

Véronique Guay et Isabelle Malinowski, responsables des projets d'insertion de Passages, pour leur passion, leur écoute, leur soutien et leur dévouement.

Monica Mandujano, formatrice aux ateliers d'arts visuels, pour son accompagnement dans la production des œuvres des Passagères et du logo.

Les participantes aux ateliers, pour avoir alimenté le projet, et toutes les femmes qui ont traversé Passages, pour avoir inspiré le projet.

Les intervenantes et le personnel de Passages qui ont plongé avec courage dans l'aventure de l'écriture.

Mathieu Langlois, pour sa participation musicale enthousiaste.

Bernard Grenon, à la prise de son en studio, pour sa disponibilité.

Pour contacter Passages : www.maisonpassages.com
Pour contacter Les Filles électriques : www.electriques.ca
Pour suivre le processus créatif autour du livre *Passagères* :
www.passageres.com

Index des auteures

Index des illustrations

Achevé d'imprimer
en janvier 2010 sur les presses de
Transcontinental Métrolitho

Imprimé au Canada — Printed in Canada